ふってもふっても
あめふりやまず

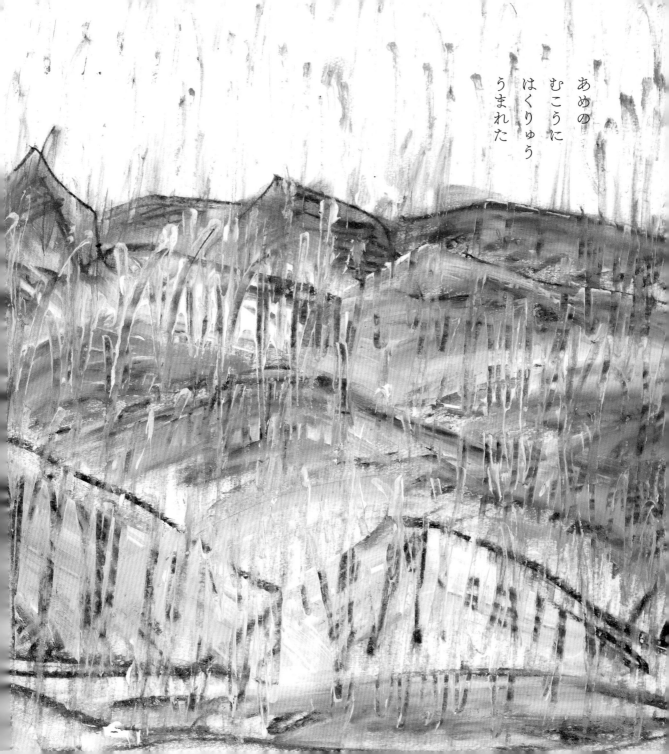

あめの
むこうに
はくりゅう
うまれた

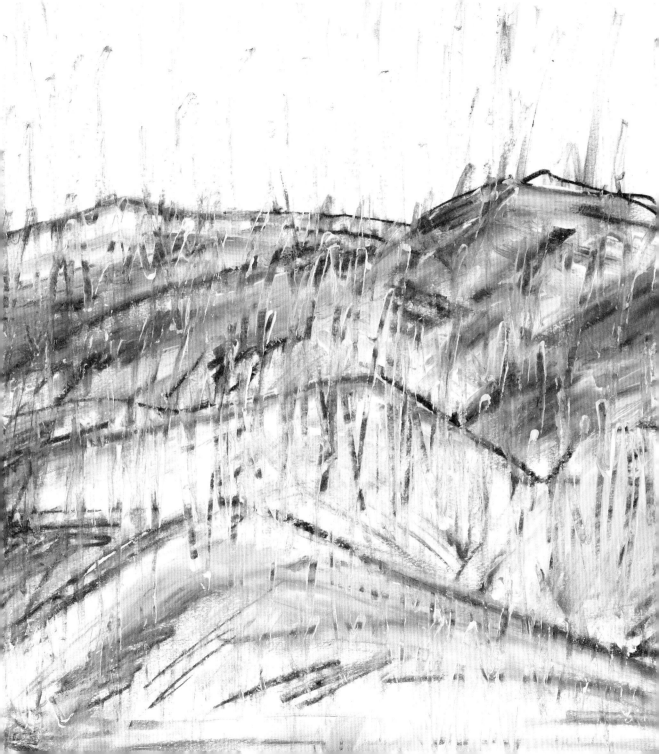

はくりゅう
わたしを
とおりぬけ

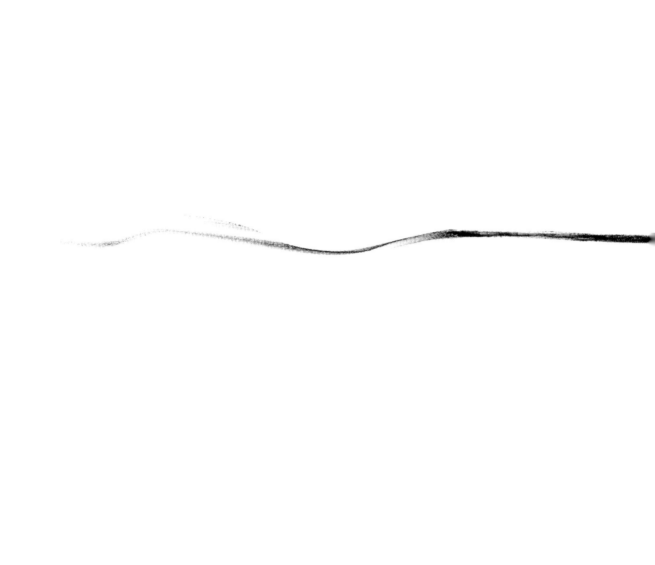

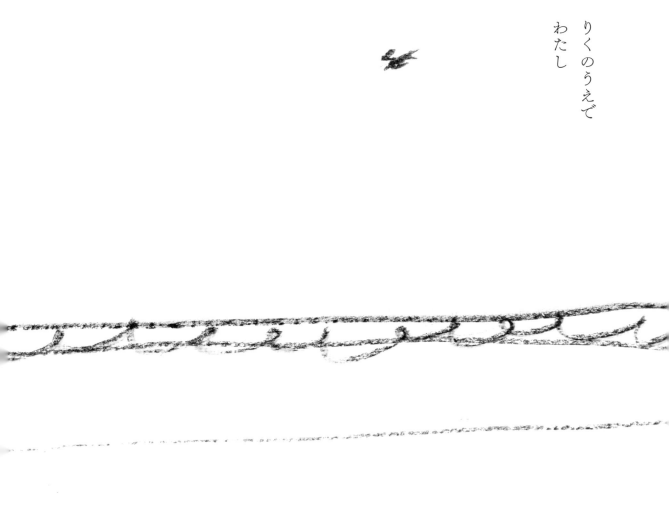

りくのうえで
わたし

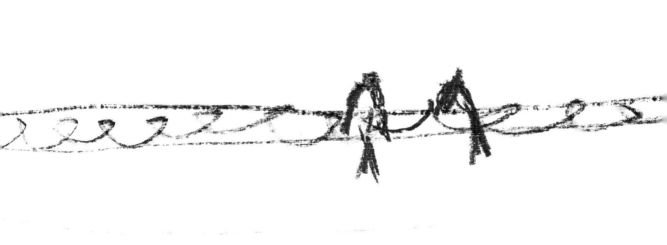

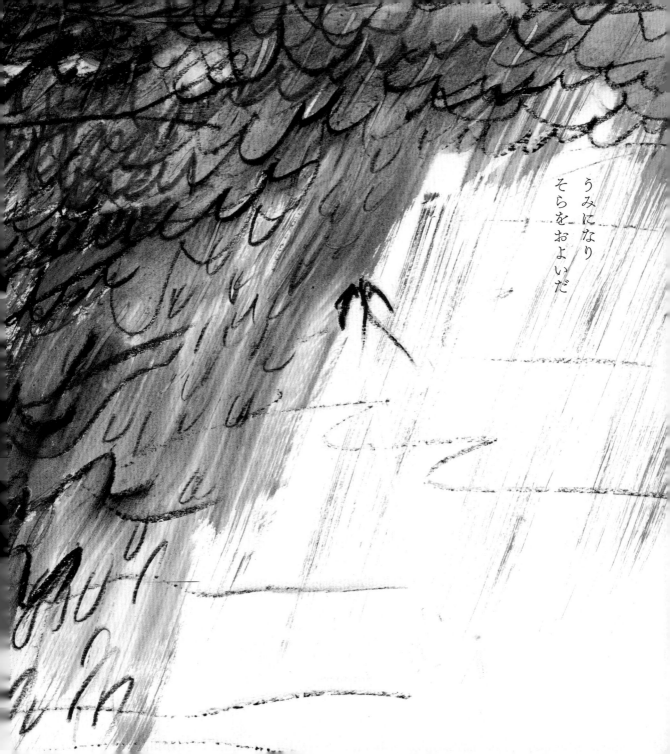

うみになり
そらをおよいだ

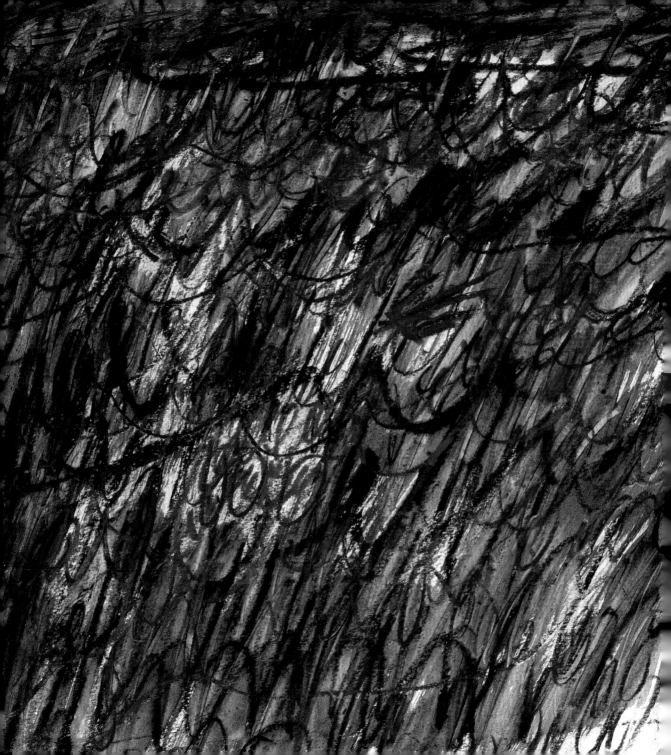

それから
それから
それから

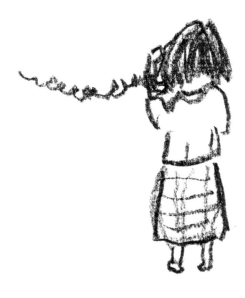

ふってくる
ふってくる

うみのあまだれ

どちらがしたか

どちらがうえで

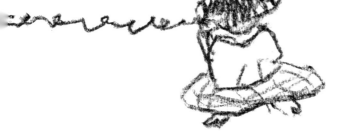

それから
それから？

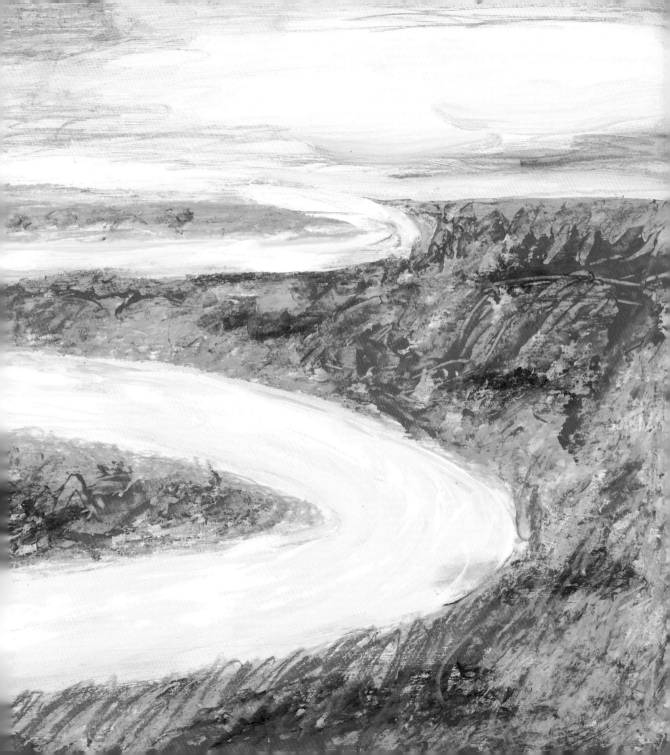

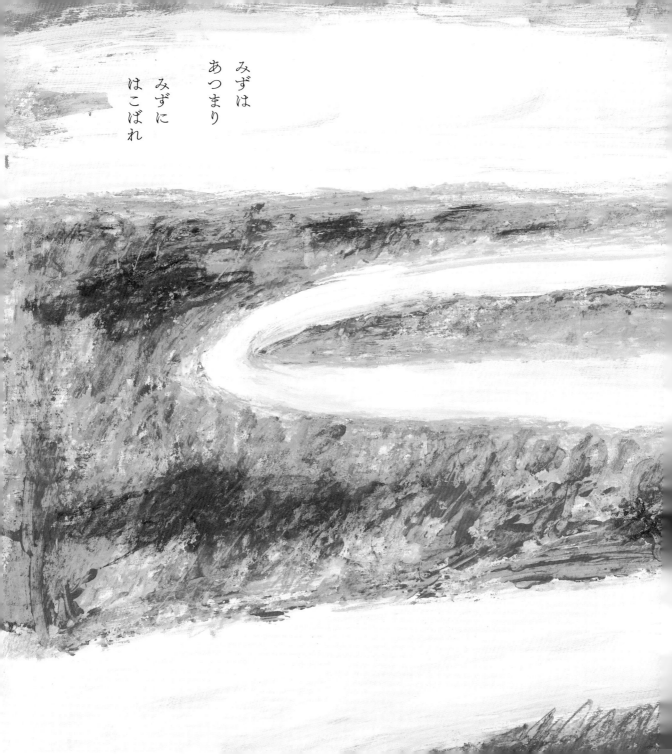

みずは
あつまり

みずに
はこばれ

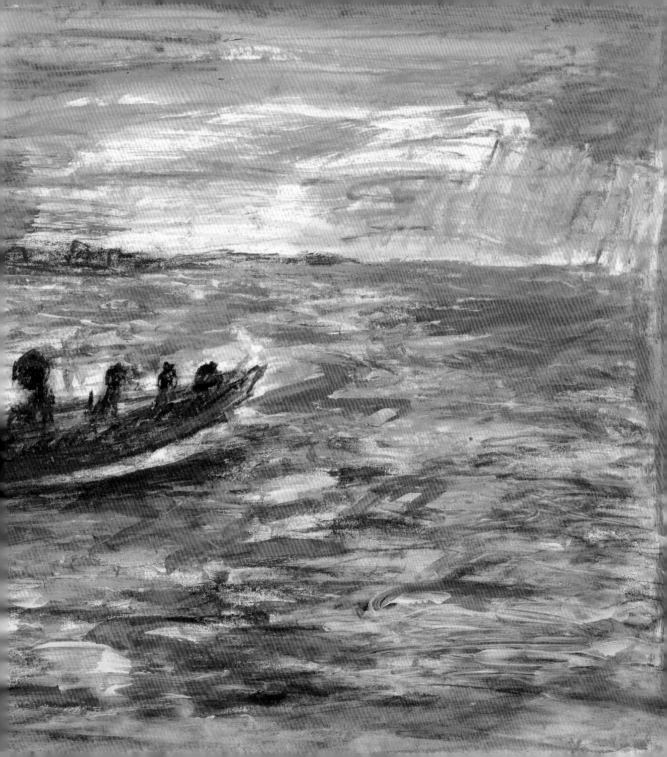

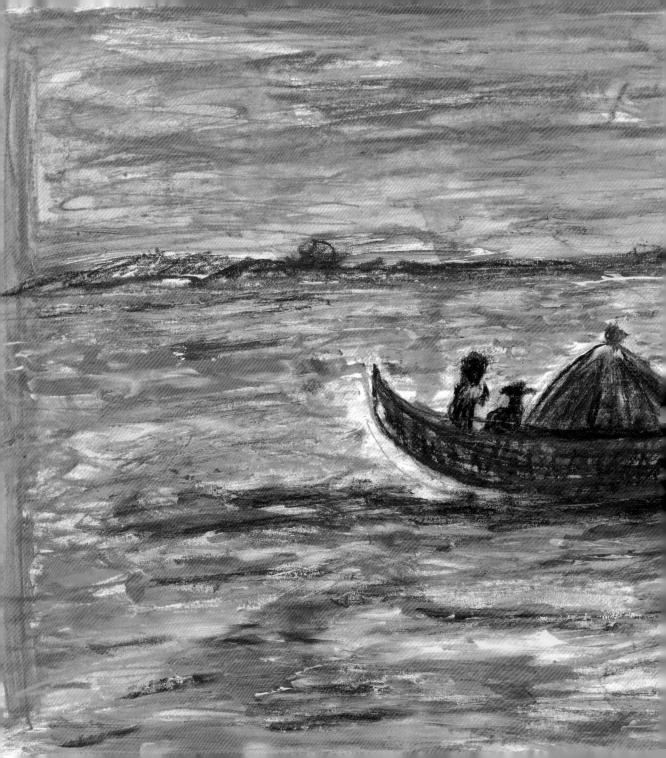

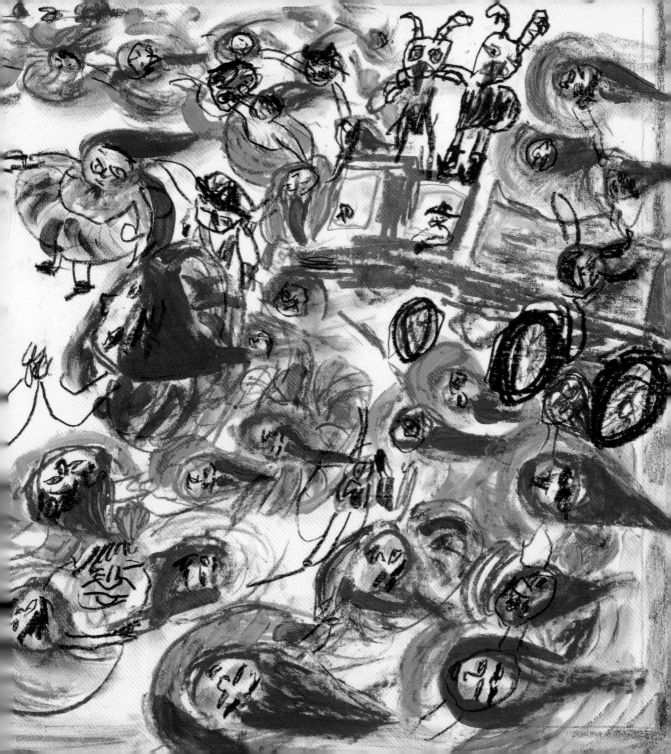

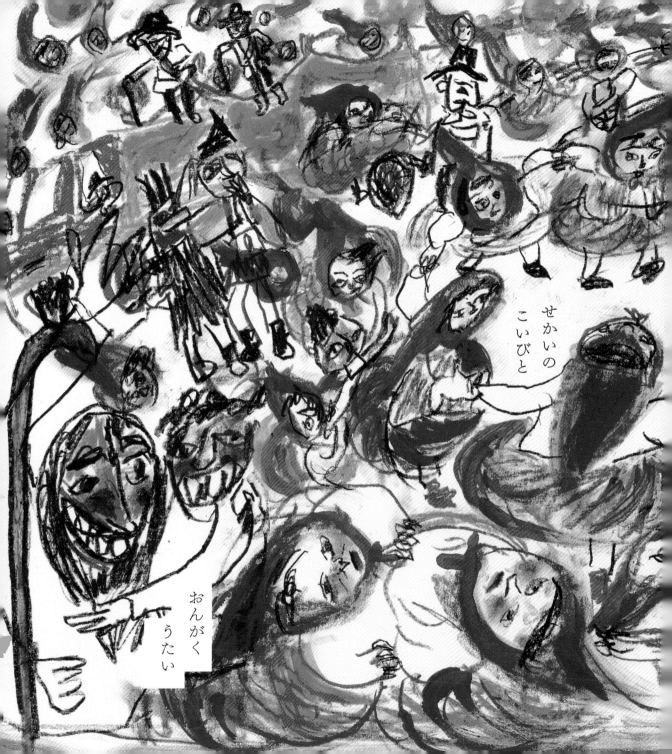

せかいの
こいびと

おんがく
うたい

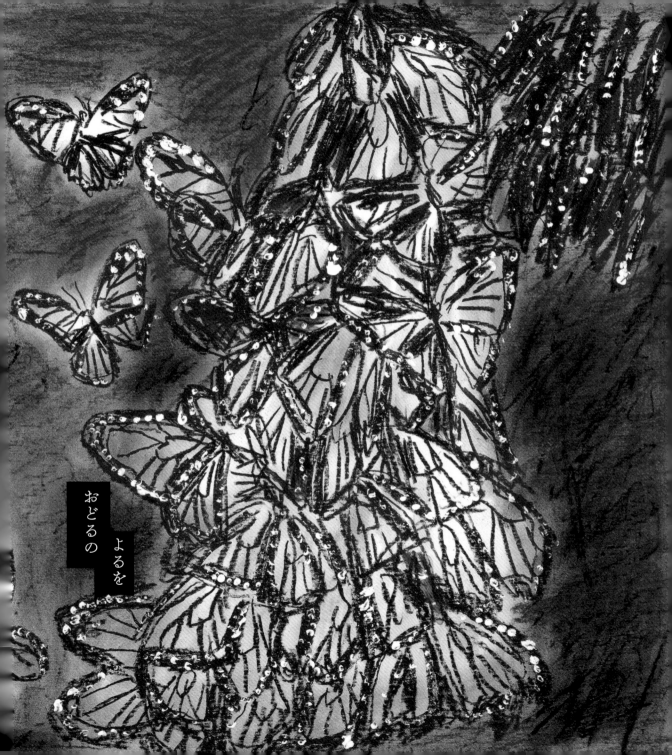

よるを　おどるの

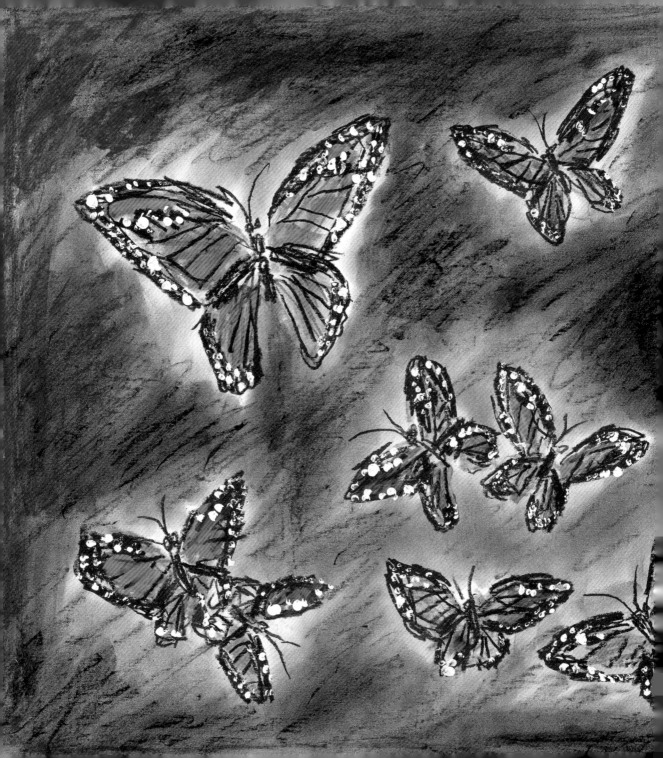

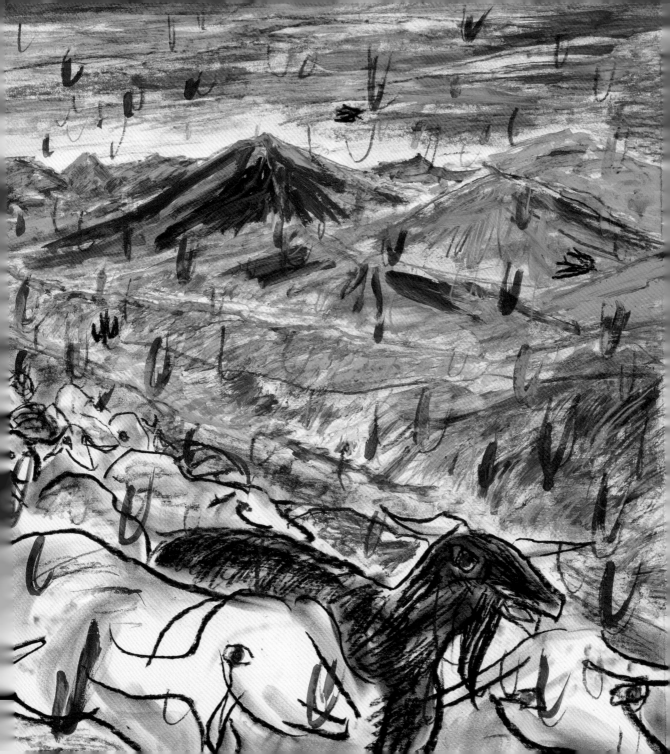

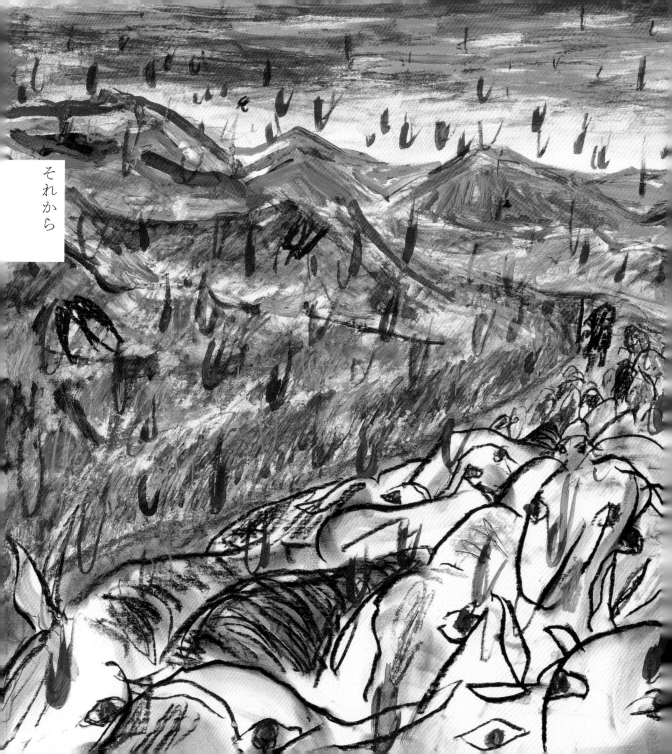

それから

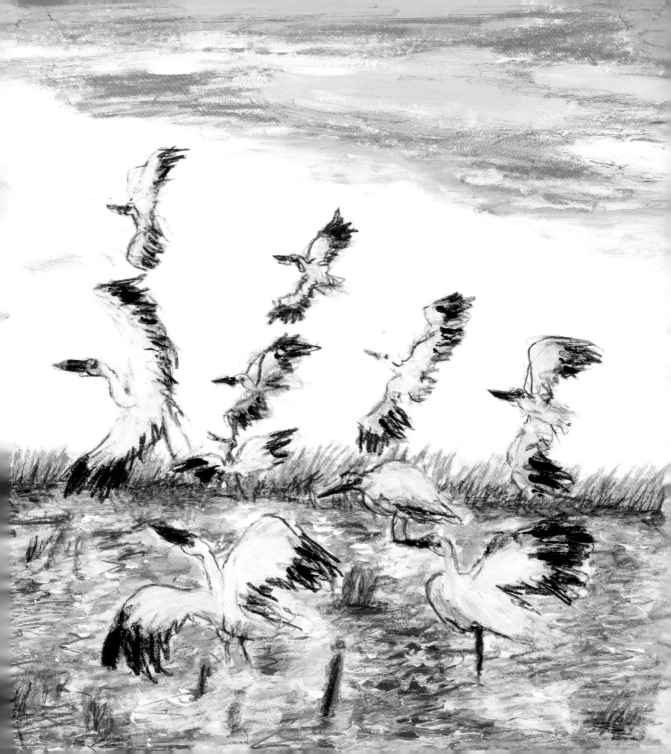

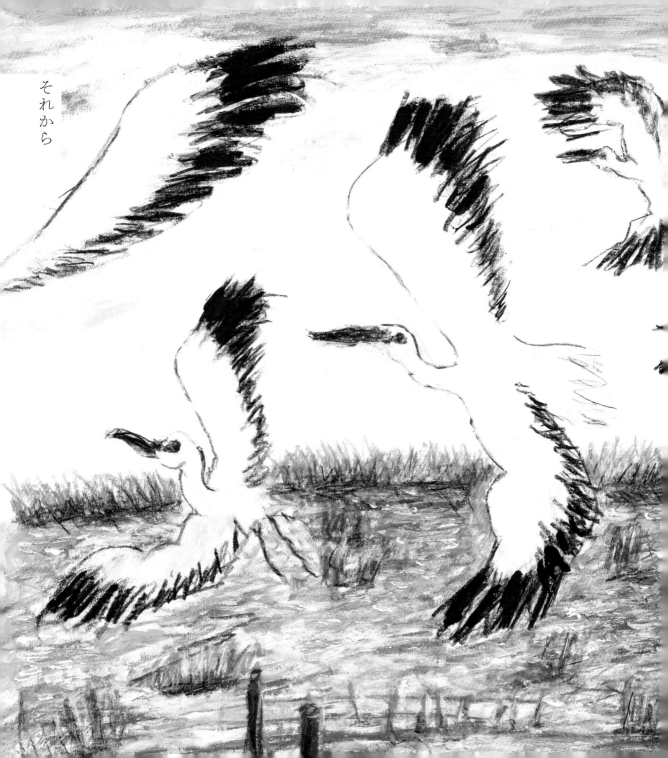

それから

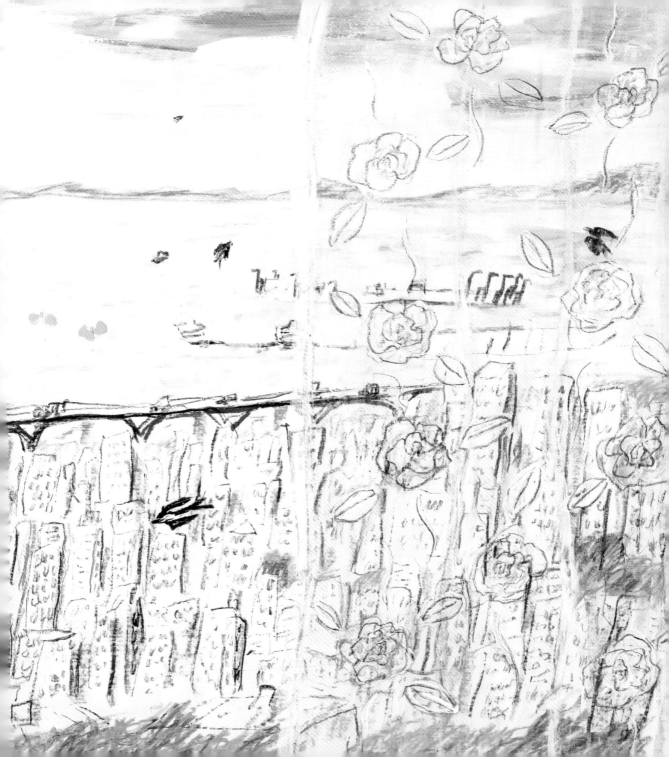

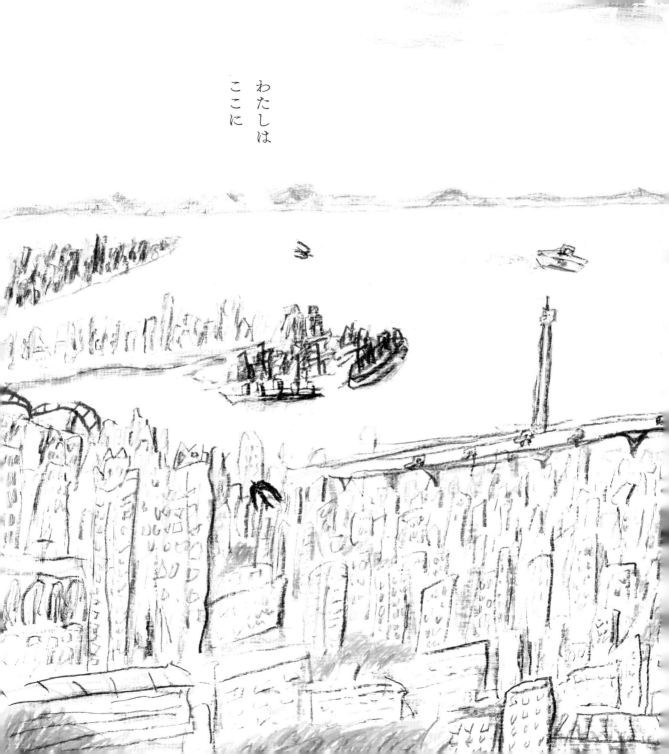

わたしは
ここに

おはよう

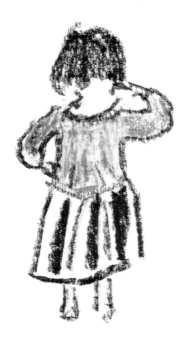